개역개정판/ series 3

믿음 안에서 자라감

THE NAVIGATORS

1. 약속

1) 약속의 중요성	벧후 1:3-4	고후 1:20
2) 선교를 위한 약속들	고후 1:3-4	고전 3:7-8
3) 열매 맺는 삶을 위한 약속들	시 1:2-3	벧후 1:8
4) 고난 중 도우심을 위한 약속들	벧전 5:10	고후 12:9
5) 공급을 위한 약속들	엡 1:3	시 37:4-5
6) 용서에 대한 약속들	요일 2:1-2	시 103:12

2. 말씀

1) 능력	히 4:12	사 55:10-11
2) 영감	벧후 1:20-21	살전 2:13
3) 영양	렘 15:16	욥 23:12
4) 알아야 함	행 17:11	요 5:39-40
5) 순종해야 함	요 8:31-32	마 4:4
6) 확실성	마 24:35	요 17:17

약속의 중요성

베드로후서 1:3-4

그의 신기한 능력으로 생명과 경건에 속한 모든 것을 우리에게 주셨으니 이는 자기의 영광과 덕으로써 우리를 부르신 이를 앎으로 말미암음이라. 이로써 그 보배롭고 지극히 큰 약속을 우리에게 주사 이 약속으로 말미암아 너희가 정욕 때문에 세상에서 썩어질 것을 피하여 신성한 성품에 참여하는 자가 되게 하려 하셨느니라.

베드로후서 1:3-4

1 약속

Importance of Promises

2 Peter 1:3-4

His divine power has given us everything we need for life and godliness through our knowledge of Him who called us by His own glory and goodness. Through these He has given us His very great and precious promises, so that through them you may participate in the divine nature and escape the corruption in the world caused by evil desires.

약속의 중요성

고린도후서 1:20
하나님의 약속은 얼마든지 그리스도 안에서 예가 되니 그런즉 그로 말미암아 우리가 아멘 하여 하나님께 영광을 돌리게 되느니라.

고린도후서 1:20

Importance of Promises

2 Corinthians 1:20

For no matter how many promises God has made, they are "Yes" in Christ. And so through Him the "Amen" is spoken by us to the glory of God.

2 Corinthians 1:20

선교를 위한 약속들

고린도후서 1:3-4
찬송하리로다. 그는 우리 주 예수 그리스도의 하나님이시요 자비의 아버지시요 모든 위로의 하나님이시며 우리의 모든 환난 중에서 우리를 위로하사 우리로 하여금 하나님께 받는 위로로써 모든 환난 중에 있는 자들을 능히 위로하게 하시는 이시로다.

고린도후서 1:3-4

Promises for Ministry

2 Corinthians 1:3-4

Praise be to the God and Father of our Lord Jesus Christ, the Father of compassion and the God of all comfort, who comforts us in all our troubles, so that we can comfort those in any trouble with the comfort we ourselves have received from God.

2 Corinthians 1:3-4

선교를 위한 약속들

고린도전서 3:7-8

그런즉 심는 이나 물 주는 이는 아무것도 아니로되 오직 자라게 하시는 이는 하나님뿐이니라. 심는 이와 물 주는 이는 한가지이나 각각 자기가 일한 대로 자기의 상을 받으리라.

고린도전서 3:7-8

Promises for Ministry

1 Corinthians 3:7-8

So neither he who plants nor he who waters is anything, but only God, who makes things grow. The man who plants and the man who waters have one purpose, and each will be rewarded according to his own labor.

1 Corinthians 3:7-8

열매 맺는 삶을 위한 약속들

시편 1:2-3
오직 여호와의 율법을 즐거워하여 그의 율법을 주야로 묵상하는도다. 그는 시냇가에 심은 나무가 철을 따라 열매를 맺으며 그 잎사귀가 마르지 아니함 같으니 그가 하는 모든 일이 다 형통하리로다.

시편 1:2-3

Promises for Fulfilled Life

Psalm 1:2-3

But his delight is in the law of the Lord, and on His law he meditates day and night. He is like a tree planted by streams of water, which yields its fruit in season and whose leaf does not wither. Whatever he does prospers.

Psalm 1:2-3

열매 맺는 삶을 위한 약속들

베드로후서 1:8

이런 것이 너희에게 있어 흡족한즉 너희로 우리 주 예수 그리스도를 알기에 게으르지 않고 열매 없는 자가 되지 않게 하려니와

베드로후서 1:8

Promises for Fulfilled Life

2 Peter 1:8

For if you possess these qualities in increasing measure, they will keep you from being ineffective and unproductive in your knowledge of our Lord Jesus Christ.

2 Peter 1:8

고난 중 도우심을 위한 약속들

베드로전서 5:10
모든 은혜의 하나님 곧 그리스도 안에서 너희를 부르사 자기의 영원한 영광에 들어가게 하신 이가 잠깐 고난을 당한 너희를 친히 온전하게 하시며 굳건하게 하시며 강하게 하시며 터를 견고하게 하시리라.

베드로전서 5:10

Promises for Help in Trouble

1 Peter 5:10

And the God of all grace, who called you to His eternal glory in Christ, after you have suffered a little while, will Himself restore you and make you strong, firm and steadfast.

1 Peter 5:10

고난 중 도우심을 위한 약속들

고린도후서 12:9

나에게 이르시기를 내 은혜가 네게 족하도다 이는 내 능력이 약한 데서 온전하여짐이라 하신지라 그러므로 도리어 크게 기뻐함으로 나의 여러 약한 것들에 대하여 자랑하리니 이는 그리스도의 능력이 내게 머물게 하려 함이라.

고린도후서 12:9

Promises for Help in Trouble

2 Corinthians 12:9

But He said to me, "My grace is sufficient for you, for My power is made perfect in weakness." Therefore I will boast all the more gladly about my weaknesses, so that Christ's power may rest on me.

2 Corinthians 12:9

공급을 위한 약속들

에베소서 1:3

찬송하리로다. 하나님 곧 우리 주 예수 그리스도의 아버지께서 그리스도 안에서 하늘에 속한 모든 신령한 복을 우리에게 주시되

에베소서 1:3

Promises for Provision

Ephesians 1:3
Praise be to the God and Father of our Lord Jesus Christ, who has blessed us in the heavenly realms with every spiritual blessing in Christ.

Ephesians 1:3

공급을 위한 약속들

시편 37:4-5

또 여호와를 기뻐하라. 그가 네 마음의 소원을 네게 이루어 주시리로다. 네 길을 여호와께 맡기라. 그를 의지하면 그가 이루시고

시편 37:4-5

Promises for Provision

Psalm 37:4-5

Delight yourself in the Lord and He will give you the desires of your heart. Commit your way to the Lord; trust in Him and He will do this.

Psalm 37:4-5

용서에 대한 약속들

요한일서 2:1-2
나의 자녀들아 내가 이것을 너희에게 씀은 너희로 죄를 범하지 않게 하려 함이라. 만일 누가 죄를 범하여도 아버지 앞에서 우리에게 대언자가 있으니 곧 의로우신 예수 그리스도시라. 그는 우리 죄를 위한 화목제물이니 우리만 위할 뿐 아니요 온 세상의 죄를 위하심이라.

요한일서 2:1-2

Promises for Forgiveness

1 John 2:1-2

My dear children, I write this to you so that you will not sin. But if anybody does sin, we have One who speaks to the Father in our defense – Jesus Christ, the Righteous One. He is the atoning sacrifice for our sins, and not only for ours but also for the sins of the whole world.

1 John 2:1-2

용서에 대한 약속들

시편 103:12
동이 서에서 먼 것같이 우리의 죄과를 우리에게서 멀리 옮기셨으며

시편 103:12

Promises for Forgiveness

Psalm 103:12
As far as the east is from the west, so far has He removed our transgressions from us.

Psalm 103:12

능력

히브리서 4:12
하나님의 말씀은 살아 있고 활력이 있어 좌우에
날 선 어떤 검보다도 예리하여 혼과 영과 및 관
절과 골수를 찔러 쪼개기까지 하며 또 마음의
생각과 뜻을 판단하나니

히브리서 4:12

Power

Hebrews 4:12

For the word of God is living and active. Sharper than any double-edged sword, it penetrates even to dividing soul and spirit, joints and marrow; it judges the thoughts and attitudes of the heart.

Hebrews 4:12

능력

이사야 55:10-11
이는 비와 눈이 하늘로부터 내려서 그리로 되돌아가지 아니하고 땅을 적셔서 소출이 나게 하며 싹이 나게 하여 파종하는 자에게는 종자를 주며 먹는 자에게는 양식을 줌과 같이 내 입에서 나가는 말도 이와 같이 헛되이 내게로 되돌아오지 아니하고 나의 기뻐하는 뜻을 이루며 내가 보낸 일에 형통함이니라.

이사야 55:10-11

Power

Isaiah 55:10-11

As the rain and the snow come down from heaven, and do not return to it without watering the earth and making it bud and flourish, so that it yields seed for the sower and bread for the eater, so is My word that goes out from My mouth: It will not return to Me empty, but will accomplish what I desire and achieve the purpose for which I sent it.

Isaiah 55:10-11

영감

베드로후서 1:20-21

먼저 알 것은 성경의 모든 예언은 사사로이 풀 것이 아니니니 예언은 언제든지 사람의 뜻으로 낸 것이 아니요 오직 성령의 감동하심을 받은 사람들이 하나님께 받아 말한 것임이라.

베드로후서 1:20-21

Inspiration

2 Peter 1:20-21

Above all, you must understand that no prophecy of Scripture came about by the prophet's own interpretation. For prophecy never had its origin in the will of man, but men spoke from God as they were carried along by the Holy Spirit.

2 Peter 1:20-21

영감

데살로니가전서 2:13
이러므로 우리가 하나님께 끊임없이 감사함은 너희가 우리에게 들은 바 하나님의 말씀을 받을 때에 사람의 말로 받지 아니하고 하나님의 말씀으로 받음이니 진실로 그러하도다. 이 말씀이 또한 너희 믿는 자 가운데에서 역사하느니라.

데살로니가전서 2:13

Inspiration

1 Thessalonians 2:13

And we also thank God continually because, when you received the word of God, which you heard from us, you accepted it not as the word of men, but as it actually is, the word of God, which is at work in you who believe.

1 Thessalonians 2:13

영양

예레미야 15:16

만군의 하나님 여호와시여 나는 주의 이름으로
일컬음을 받는 자라. 내가 주의 말씀을 얻어먹
었사오니 주의 말씀은 내게 기쁨과 내 마음의
즐거움이오나

예레미야 15:16

Nourishment

Jeremiah 15:16

When Your words came, I ate them; they were my joy and my heart's delight, for I bear Your name, O Lord God Almighty.

Jeremiah 15:16

영양

욥기 23:12
내가 그의 입술의 명령을 어기지 아니하고 정한
음식보다 그의 입의 말씀을 귀히 여겼도다.
욥기 23:12

Nourishment

Job 23:12

I have not departed from the commands of His lips; I have treasured the words of His mouth more than my daily bread.

Job 23:12

알아야 함

사도행전 17:11
베뢰아에 있는 사람들은 데살로니가에 있는 사람들보다 더 너그러워서 간절한 마음으로 말씀을 받고 이것이 그러한가 하여 날마다 성경을 상고하므로

사도행전 17:11

Know

Acts 17:11
Now the Bereans were of more noble character than the Thessalonians, for they received the message with great eagerness and examined the Scriptures every day to see if what Paul said was true.

Acts 17:11

알아야 함

요한복음 5:39-40
너희가 성경에서 영생을 얻는 줄 생각하고 성경을 연구하거니와 이 성경이 곧 내게 대하여 증언하는 것이니라. 그러나 너희가 영생을 얻기 위하여 내게 오기를 원하지 아니하는도다.

요한복음 5:39-40

Know

John 5:39-40
You diligently study the Scriptures because you think that by them you possess eternal life. These are the Scriptures that testify about Me, yet you refuse to come to Me to have life.

John 5:39-40

순종해야 함

요한복음 8:31-32
그러므로 예수께서 자기를 믿은 유대인들에게
이르시되 너희가 내 말에 거하면 참으로 내 제
자가 되고 진리를 알지니 진리가 너희를 자유롭
게 하리라.

요한복음 8:31-32

Obey

John 8:31-32

To the Jews who had believed Him, Jesus said, “If you hold to My teaching, you are really My disciples. Then you will know the truth, and the truth will set you free.”

John 8:31-32

순종해야 함

마태복음 4:4

예수께서 대답하여 이르시되 기록되었으되 사람이 떡으로만 살 것이 아니요 하나님의 입으로부터 나오는 모든 말씀으로 살 것이라 하였느니라 하시니

마태복음 4:4

Obey

Matthew 4:4

Jesus answered, "It is written: 'Man does not live on bread alone, but on every word that comes from the mouth of God."

Matthew 4:4

확실성

마태복음 24:35
천지는 없어질지언정 내 말은 없어지지 아니하리라.

마태복음 24:35

Reliability

Matthew 24:35
Heaven and earth will pass away, but My words will never pass away.

Matthew 24:35

확실성

요한복음 17:17
그들을 진리로 거룩하게 하옵소서. 아버지의 말씀은 진리니이다.

요한복음 17:17

Reliability

John 17:17
Sanctify them by the truth; Your word is truth.

John 17:17

믿음의 시련

베드로전서 1:6-7

그러므로 너희가 이제 여러 가지 시험으로 말미암아 잠깐 근심하게 되지 않을 수 없으나 오히려 크게 기뻐하는도다. 너희 믿음의 확실함은 불로 연단하여도 없어질 금보다 더 귀하여 예수 그리스도께서 나타나실 때에 칭찬과 영광과 존귀를 얻게 할 것이니라.

베드로전서 1:6-7

Testing of Faith

1 Peter 1:6-7

In this you greatly rejoice, though now for a little while you may have had to suffer grief in all kinds of trials. These have come so that your faith – of greater worth than gold, which perishes even though refined by fire – may be proved genuine and may result in praise, glory and honor when Jesus Christ is revealed.

1 Peter 1:6-7

믿음의 시련

야고보서 1:2-4
내 형제들아 너희가 여러 가지 시험을 당하거든 온전히 기쁘게 여기라. 이는 너희 믿음의 시련이 인내를 만들어 내는 줄 너희가 앎이라. 인내를 온전히 이루라. 이는 너희로 온전하고 구비하여 조금도 부족함이 없게 하려 함이라.

야고보서 1:2-4

Testing of Faith

James 1:2-4
Consider it pure joy, my brothers, whenever you face trials of many kinds, because you know that the testing of your faith develops perseverance. Perseverance must finish its work so that you may be mature and complete, not lacking anything.

James 1:2-4

불신의 결과

히브리서 4:2
그들과 같이 우리도 복음 전함을 받은 자이나 들은 바 그 말씀이 그들에게 유익하지 못한 것은 듣는 자가 믿음과 결부시키지 아니함이라.
히브리서 4:2

Results of Unbelief

Hebrews 4:2
For we also have had the gospel preached to us, just as they did; but the message they heard was of no value to them, because those who heard did not combine it with faith.

Hebrews 4:2

불신의 결과

히브리서 10:38

나의 의인은 믿음으로 말미암아 살리라 또한 뒤로 물러가면 내 마음이 그를 기뻐하지 아니하리라 하셨느니라.

히브리서 10:38

Results of Unbelief

Hebrews 10:38
But My righteous one will live by faith. And if he shrinks back, I will not be pleased with him.

Hebrews 10:38

믿음의 투쟁

에베소서 6:16
모든 것 위에 믿음의 방패를 가지고 이로써 능히 악한 자의 모든 불화살을 소멸하고

에베소서 6:16

The Battle of Faith

Ephesians 6:16
In addition to all this, take up the shield of faith, with which you can extinguish all the flaming arrows of the evil one.

Ephesians 6:16

믿음의 투쟁

디모데전서 6:11-12
오직 너 하나님의 사람아 이것들을 피하고 의와 경건과 믿음과 사랑과 인내와 온유를 따르며 믿음의 선한 싸움을 싸우라. 영생을 취하라. 이를 위하여 네가 부르심을 받았고 많은 증인 앞에서 선한 증언을 하였도다.

디모데전서 6:11-12

The Battle of Faith

1 Timothy 6:11-12

But you, man of God, flee from all this, and pursue righteousness, godliness, faith, love, endurance and gentleness. Fight the good fight of the faith. Take hold of the eternal life to which you were called when you made your good confession in the presence of many witnesses.

1 Timothy 6:11-12

믿음의 근원

히브리서 11:1
믿음은 바라는 것들의 실상이요 보이지 않는 것들의 증거니

히브리서 11:1

Source of Faith

Hebrews 11:1

Now faith is being sure of what we hope
for and certain of what we do not see.

Hebrews 11:1

믿음의 근원

로마서 10:17
그러므로 믿음은 들음에서 나며 들음은 그리스도의 말씀으로 말미암았느니라.
로마서 10:17

Source of Faith

Romans 10:17

Consequently, faith comes from hearing the message, and the message is heard through the word of Christ.

Romans 10:17

행하는 믿음

히브리서 6:12
게으르지 아니하고 믿음과 오래 참음으로 말미암아 약속들을 기업으로 받는 자들을 본받는 자 되게 하려는 것이니라.

히브리서 6:12

Faith in Action

Hebrews 6:12

We do not want you to become lazy, but to imitate those who through faith and patience inherit what has been promised.

Hebrews 6:12

행하는 믿음

야고보서 2:17
이와 같이 행함이 없는 믿음은 그 자체가 죽은 것이라.

야고보서 2:17

Faith in Action

James 2:17
In the same way, faith by itself, if it is not accompanied by action, is dead.

James 2:17

믿음으로 의롭게 됨

갈라디아서 2:16
사람이 의롭게 되는 것은 율법의 행위로 말미암음이 아니요 오직 예수 그리스도를 믿음으로 말미암는 줄 알므로 우리도 그리스도 예수를 믿나니 이는 우리가 율법의 행위로써가 아니고 그리스도를 믿음으로써 의롭다 함을 얻으려 함이라. 율법의 행위로써는 의롭다 함을 얻을 육체가 없느니라.

갈라디아서 2:16

Justification by Faith

Galatians 2:16

[We] know that a man is not justified by observing the law, but by faith in Jesus Christ. So we, too, have put our faith in Christ Jesus that we may be justified by faith in Christ and not by observing the law, because by observing the law no one will be justified.

Galatians 2:16

믿음으로 의롭게 됨

로마서 5:1
그러므로 우리가 믿음으로 의롭다 하심을 받았으니 우리 주 예수 그리스도로 말미암아 하나님과 화평을 누리자.

로마서 5:1

Justification by Faith

Romans 5:1
Therefore, since we have been justified through faith, we have peace with God through our Lord Jesus Christ.

Romans 5:1

3. 믿음

1) 믿음의 시련	벧전 1:6-7	약 1:2-4
2) 불신의 결과	히 4:2	히 10:38
3) 믿음의 투쟁	엡 6:16	딤전 6:11-12
4) 믿음의 근원	히 11:1	롬 10:17
5) 행하는 믿음	히 6:12	약 2:17
6) 믿음으로 의롭게 됨	갈 2:16	롬 5:1

NIV

series 3

Growing in Faith

네비게이토 출판사
http://navpress.co.kr

Printed in Korea
값 2,500원

9 788937 503788